雪女の家
おけら山
ひりひり滝
おおかみ男の家
ぬるぬる池
かたかた橋
にこにこぷんぷんめそめその花畑
ぞくぞく劇場
美術館
ぞくぞく小学校

ぞくぞく村の

ちびっこおばけ グー・スー・ピー

末吉暁子・作　垂石眞子・絵

ぞくぞく村のおばけシリーズ・3

ぞくぞく村《むら》のちびっこおばけ三人組《トリオ》を紹介《しょうかい》しまあす。
三人《にん》は、おしゃれおばけのおじいさんのまごむすめたちです。

あたしが、スーちゃん。
あたしが、ピーちゃん。

「三人《にん》そろって、グー・スー・ピーよ。よろしくね。」

三人《にん》のちびっこおばけたちは、もじゃもじゃ原《はら》っぱの木《き》の上《うえ》に、おじいさんおばけといっしょにすんでいます。

おじいさんおばけは、いつもとってもおしゃれできどりや。きざっぽいほどかっこいいのに、どうしたことか、このごろはおひげもくしゃくしゃ。ネクタイもひんまがり、ごみ箱《ばこ》の中身《なかみ》をぶちまけては、

「ない！」

家《いえ》じゅうのひきだしを全部《ぜんぶ》開《あ》けてみては、

「ない、ない！」

いすの下《した》にもぐりこんでは、

「ない、ない、ない！」

と大《おお》さわぎ。

「おじいさん、なにがないの？」

GOMI

ちびっこたちがたずねると、

「ゆびわじゃよ。わしのだいじな結婚《けっこん》ゆびわが、なくなってしまったんじゃよ。わあん。」

おじいさんは、なきだしました。

「ええっ！　あのだいじな結婚《けっこん》ゆびわがぁ？」

ちびっこおばけたちは、声《こえ》をそろえて、さけびました。

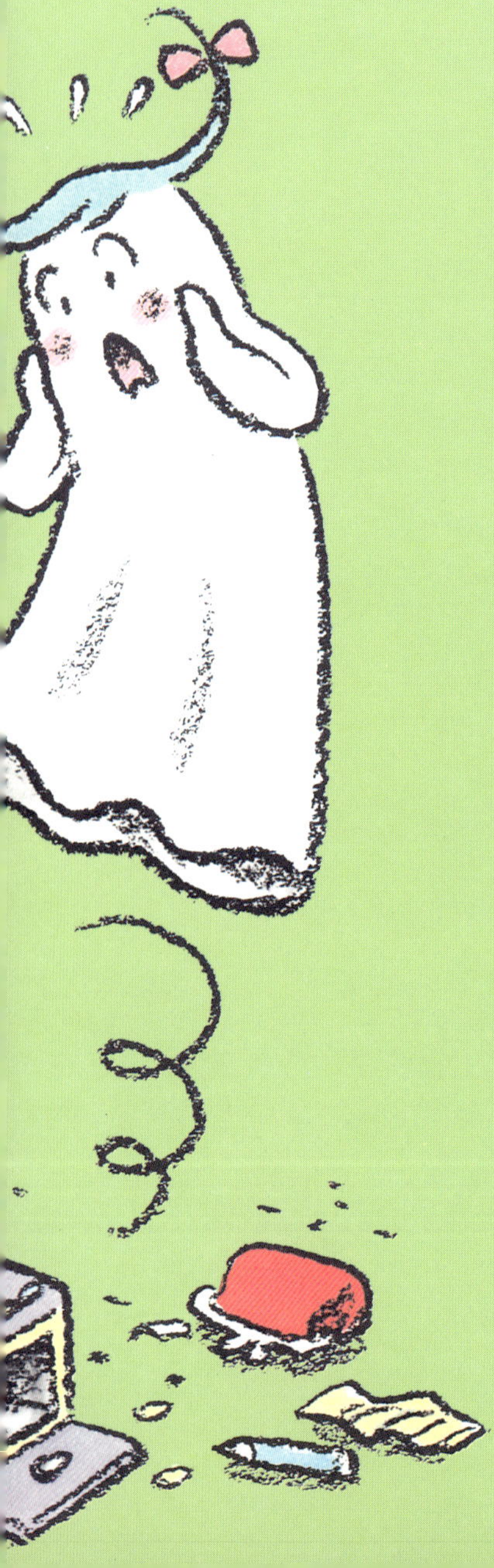

だって、ちびっこたちは、おじいさんからなん百回《びゃっかい》「ゆびわ物語《ものがたり》」を聞《き》かされているか、わからないのですから……。

そう。それは、こおんなお話《はなし》です。

ちょっとたいくつかもしれませんけど、もういっぺん、おじいさんに話《はな》してもらいましょう。


むかしむかし、ちょっとむかし。わしがものすごい美青年《びせいねん》だったころ、ばあさんも、評判《ひょうばん》の美人《びじん》だった。二人《ふたり》は、すてきな恋《こい》をして結婚《けっこん》したんじゃ。

ところがドッコイシヨ。わしはとてもびんぼうで、りっぱな結婚《けっこん》ゆびわを買《か》うお金《かね》がなかった。

そこでわしは、えんにちの夜店《よみせ》で、一こ三百円《びゃくえん》のおもちゃのダイヤモンドのゆびわを二つ買《か》ってきたのじゃ。でも、わかかったばあさんは、てっきりほんものだと思《おも》って、大《おお》よろこび。かたときも、そのゆびわをはずしたことが、なかった。

わしは、にせものだと告白《こくはく》する勇気《ゆうき》がないまま、ン十年《ねん》。わしらは、幸《しあわ》せな一生《いっしょう》をすごしたが、ばあさんはなくなると、まっすぐ天国《てんごく》へ。ものずきなわしは、おばけになって、ぞくぞく村《むら》に来《き》たというわけだ。チャンチャン！

おばけになってから、わしゃはじめてわかった。ばあさんは、はじめから、ゆびわがにせものだと知《し》っていたんだよ。でも、ほんものだと思《おも》いこんだふりをしていたんだ。やさしいじゃないか。

うっ、うっ……。

PI
GU
SU
PI
GU
スー、スー。
グー、グー。
SU
PI
GU

Gu
Su
Pi
こらこら、ねるんじゃない。
ちびっこたち。
ピー。
Pi

「だって、あたしたち、そのお話《はなし》聞《き》いたの、三百《びゃく》三十一回目《かいめ》なんだもの。」

「こうしちゃいられない。早《はや》くゆびわをさがさなくちゃ。」

「あたしたちも、いっしょにさがしてあげる。」

それから、ちびっこたちもえんとつの中《なか》をさがしたり、れいぞうこの中《なか》をさがしたり、ジャムやミルクやおさとういれの中《なか》をかきまわしたりしたのですが……。

家《いえ》の中《なか》は、ますますしっちゃかめっちゃかになるばかり。

「どこにもないわ。ぐすん。」

「おじいさん、どこか外《そと》で落《お》としてきたのよ。」

「このぞくぞく村《むら》のどこかにあるはずよ。」

そこでおじいさんは、ぞくぞく村《むら》の新聞《しんぶん》に、こんな広告《こうこく》を出《だ》しました。

さがして！
だいじな結婚ゆびわを
どこかへ落としてしまっ
たんじゃよ。
ひろってくれた方には、
ネクタイ一本、あげます。
（おしゃれおばけの
おじいさんより）

この広告《こうこく》は、「ぞくぞく村《むら》だより」の2号《ごう》にのりましたから、読者《どくしゃ》のみなさまの中《なか》にも、ごらんになった方《かた》もいらっしゃることと思《おも》います。ところがおじいさんは、かんじんのことを書《か》きわすれてしまったのです。

ええ、そのゆびわは、えんにちで三百円《びゃくえん》で買《か》ったおもちゃのダイヤモンドだってことをです。

だから、すぐにミイラのラムさんが、

「ゆびわって、これじゃありませんか。うちの店《みせ》の品物《しなもの》の中《なか》に、見《み》おぼえのないゆびわがあったので……」。

と、とどけてくれたのですが、それはほんもののダイヤのゆびわでした。

おじいさんは、もちろんうけとりませんでした。

さっきも、とうめい人間《にんげん》のおくさんがやってきて、

「うちのブティックに落《お》ちていたんだけど、これじゃありません?」

と、持《も》ってきてくれたのは、ルビーのゆびわです。

「ざんねんながら、わしのじゃない。」

おじいさんは、がっくりとかたを落《お》としました。

「おじいさん! えんにちで三百円《びゃくえん》で買《か》ったおもちゃのゆびわだって、言《い》えばいいのに!」

グーちゃんが、ぐだぐだ言《い》っても、おじいさんは、

「おしゃれでかっこいい、このわしが、今《いま》さらそんなことが言《い》えるか……とほほ。」

300えん

ちびっこおばけたちは、うなずきあいました。

「ようし!」

「まかせといてちょうだい。」

「あたしたちが、見《み》つけてあげる。」


おばけたちの家《いえ》の前《まえ》は、もじゃもじゃ原《はら》っぱです。

ここには、夏《なつ》でも冬《ふゆ》でも、夜《よる》でも昼《ひる》でも、パーマネントをかけたような長《なが》い草《くさ》が、もじゃもじゃもじゃとはえています。

「なんといったって、このもじゃもじゃ原《はら》っぱがあやしいわ。」

ちびっこおばけたちは、満月《まんげつ》の光《ひかり》の下《した》で、草《くさ》の根《ね》もとをさがしはじめました。

♪まいごのまいごのゆびわちゃん
だいじなおじいさんのゆびわちゃん
思《おも》いでいっぱいのゆびわちゃん
どっかにいたら出《で》ておいで！
きらっと光《ひか》って出《で》ておいで！
ころんところがって出《で》ておいで！

うたいながらさがしているうちに、いたずらが大好《だいす》きなピーちゃんは、ついついい、もじゃもじゃの草《くさ》と草《くさ》を、むすんじゃったり、三つあみにしたり……。

それを見《み》て、ほかの二人《ふたり》も、
「わあ、おもしろそう。」

ちびっこおばけたちは、ゆびわさがしもそっちのけで、原《はら》っぱじゅうの草《くさ》をむすんで

しまいました。
そこへ、ひょこひょこ
とやってきたのが、小鬼《こおに》
のゴブリンです。

♪ゆびわさがしだ。エイホッホ。
かあちゃんにたのまれ、ホイサッサ。
ネクタイ一本《ぽん》　エイエイホ。
赤《あか》んぼのおぶいひもだ。ホイホイホイホイ。

わけのわからないうたをうたいながら、もじゃもじゃの草《くさ》を、かきわけ、かきわけ、ゆびわをさがしはじめました。

そのうち……。

「あれれ。こんがらがって、からだがぬけないぞ。」

ゴブリンのおやじは、からだをひねったりくねらせたりしましたが、草《くさ》はからみつくばかりです。

「だれだ！　草《くさ》と草《くさ》をむすんだのは！」

「わあい、ごめんなさあい。」

ちびっこおばけたちは、すたこらぴゅうっとにげだしました。

ふりかえると、たすけにかけつけたゴブリンのおくさんも、草《くさ》に足《あし》を取《と》られて、コテン！　コテン！　と、ひっくりかえっています。

ちびっこおばけたちは、おかしいのをがまんして、ぐずぐず谷《だに》まで飛《と》んでいってから、いっせいに、

「くっくっくっ。」

「ふえっ、ふえっ、ふえっ！」

「けっけっけっ！」

と、ころげまわって大《おお》わらい。

「さあ、こんどはどこをさがしにいく？」

「そうだわ。魔女《まじょ》のオバタンにうらなってもらおうよ。」

「そうしましょ。そうしましょ。」

ちびっこおばけたちは、魔女《まじょ》のオバタンの家《いえ》にむかいました。

魔女《まじょ》のオバタンは、このごろごきげんななめです。

なぜかと言うと、せっかくスマートにやせて、ほうきにのれるようになったのに、また近《ちか》ごろ太《ふと》って、のれなくなってしまったからです。

そんなことは知《し》らない、ちびっこおばけたち……。

「コンコン、コン！」

「魔女《まじょ》のオバタン！」

「こんばんは。」

すると、ねこのアカトラがげんかんに出《で》てきて言《い》いました。

「なんのご用《よう》？ 今《いま》、オバタンは体重計《たいじゅうけい》にのっているところだから、

ごきげん悪《わる》いと思《おも》うけど。」

「？　？　？」

ちびっこおばけたちは、顔《かお》を見《み》あわせてから言《い》いました。

「じつは、うちのおじいさんが……。」

「だいじな結婚《けっこん》ゆびわをなくしてしまったの。」

「どこにあるか、オバタンにうらなってほしいの。」

そう言《い》ったとたん、おくからものすごいどなり声《ごえ》が飛《と》んできました。

「うらなってあたったら、なにくれるのサ！」
出《で》てきたのは、オバタンです。
ちびっこたちは、オバタンを見《み》て、口《くち》をあんぐり。

「あら、魔女《まじょ》のオバタン。このあいだは、すっごくスマートになって、」

「かっこよくほうきにのって飛《と》んでたのに……。」

「まあた、こんなにふと」

と、言《い》ったところで、ねこのアカトラが、スーちゃんに飛《と》びついて、
口《くち》をふさぎました。

「しいいっ！　あ、いや、あはは。オバタンのうらないは、よくあたるからだいじょうぶ。で、ゆびわが見《み》つかったら、なにくれるの？」

「おじいさんのネクタイ一本《ぽん》！」

ちびっこおばけたちが、声《こえ》をそろえて言《い》うと、オバタンは、

「はん！　たったのネクタイ一本《ぽん》！　おととい おいで！」

ドアをバタンと閉《し》めました。

「……ぐすん。」

グーちゃんは、ぐずぐずなきだし、スーちゃんは、

「いじわる！　いいーだ！」

と、口《くち》をとがらせました。

ピーちゃんは、ドアをぐいと開《あ》けて、

「じゃあ、いくら食《た》べても太《ふと》らない、おばけかぼちゃのかんづめ！」

と、言《い》いました。すると、

入《はい》っておいで！
ふとらない

すぐに、オバタンの声《こえ》がしました。

へやの中《なか》では、オバタンの四ひきの使《つか》い魔《ま》、ねこのアカトラ、こうもりのバッサリ、とかげのペロリ、ひきがえるのイボイボが、はらはらしながら見《み》ています。

オバタンは、テーブルの上《うえ》に、ぞくぞく村《むら》の地図《ちず》を広《ひろ》げて、ちびっこたちに聞《き》きました。

「かきのたねうらないがいい？　すいかのたねうらないがいい？　かぼちゃのたねうらないがいい？」

ちびっこたちは、口《くち》ぐちにこたえました。

「かきのたねがいい！」

「すいかのたねがいい！」
「かぼちゃのたねがいい！」
「じゃかぁしい！　どれかひとつだ！」
オバタンが、ドン！　とテーブルをたたいたので、四ひきの使《つか》い魔《ま》たちは、ひゃっと飛《と》び上《あ》がり、てんじょうに頭《あたま》をぶつけてしまいました。

しかたなく、ちびっこおばけたちは、ジャンケンポンで、「すいかのたねうらない」にきめました。

「よし！」

オバタンは、たなにずらりとならんだびんの中《なか》から、「すいかのたね」と書《か》いてあるびんを取《と》ってくると、ひとつかみ取《と》りだしました。

「さあ、いくよ！」

みんなが息《いき》をひそめて見《み》まもる中《なか》を、オバタンは地図《ちず》に背《せ》をむけ、じゅもんをとなえました。

ブックサ、ブックサ、
グチグチ、ネチネチ、
イジイジ、グズグズ、
ガーガー、ギャーギャー、
ブーブー、ブータラ、
ガミガミ、ドカン！

「そうれ！」

オバタンは、うしろむきのまま、右手《みぎて》につかんだすいかのたねを、ぱっと地図《ちず》の上《うえ》にばらまきました。

ほとんどのたねはテーブルから落《お》ちて、ゆかの上《うえ》にちらばりました。

けれども地図《ちず》の上《うえ》には、いくつかのたねがのっています。

オバタンは、それを、ジジジジッと焼《や》けこげのつくほど見《み》つめたあとで、おごそかに言《い》いました。

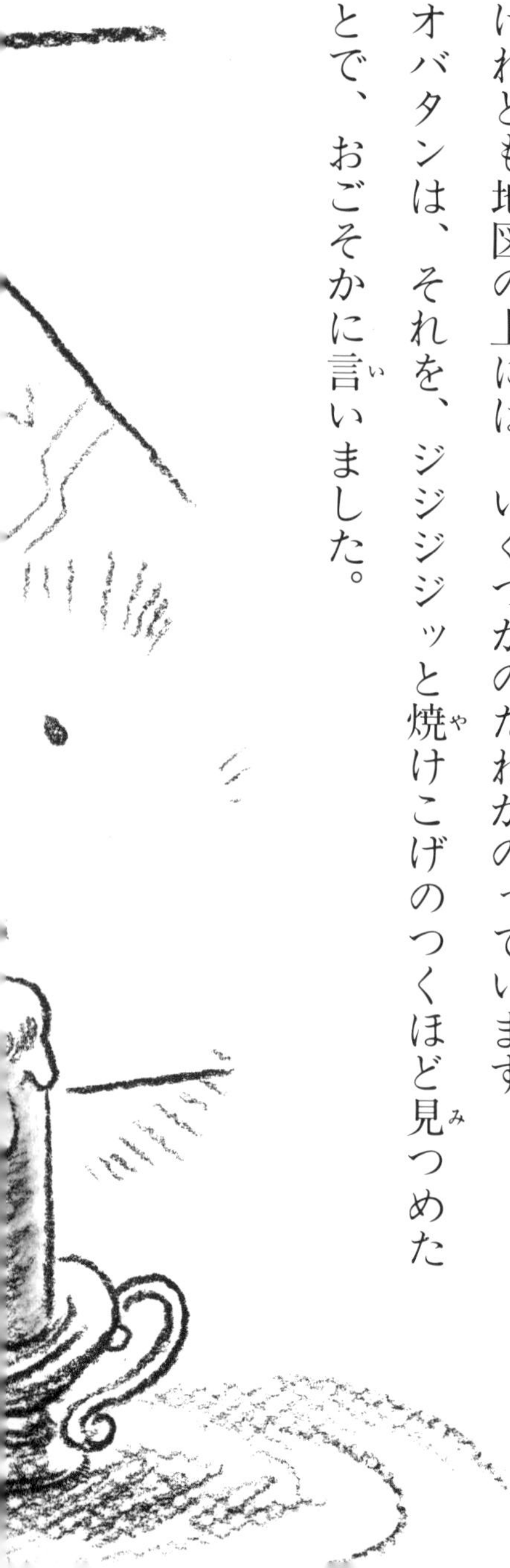

「お花畑《はなばたけ》で、今晩《こんばん》さいしょの花《はな》がさく。それがぷんぷんの花《はな》なら、ゆびわは森《もり》の中《なか》。にこにこの花《はな》なら、ゆびわは水《みず》の中《なか》。めそめその花《はな》なら、ゆびわは家《いえ》の中《なか》にあーる。」

それを聞《き》くと、四ひきの使《つか》い魔《ま》たちは、そろって、

「ほっ！」

と、ため息《いき》をつき、

「さーすが、オバタン！」

と、はくしゅしました。

「魔女《まじょ》のオバタン、ありがとう」。

「あたしたち、これから、さっそく、」

「お花畑《はなばたけ》に行《い》ってみるわ。」

最後《さいご》は、オバタンもごきげんよく、手《て》をふってくれました。

「いくら食《た》べても太《ふと》らない、かぼちゃのかんづめをよろしくね。」

「ぷんぷんの花《はな》なら森《もり》の中《なか》。」

「にこにこの花《はな》なら水《みず》の中《なか》。」

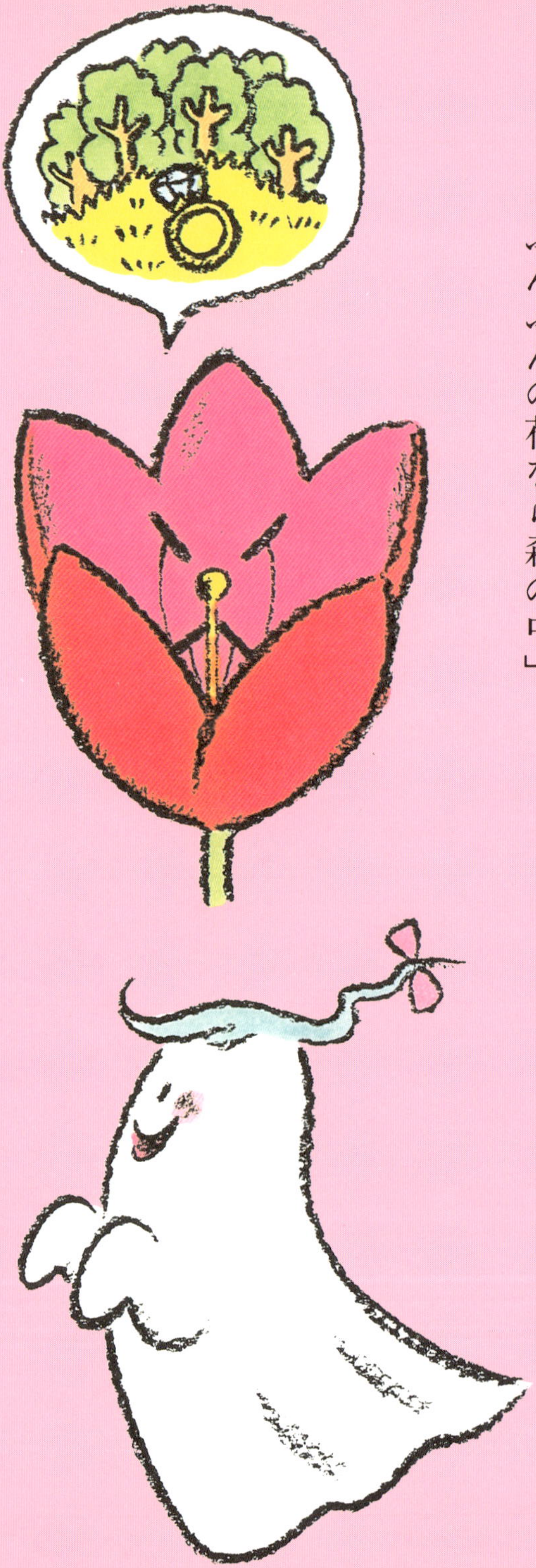

「めそめその花《はな》なら家《いえ》の中《なか》。」

わすれないように、ちびっこおばけたちはうたいながら、お花畑《はなばたけ》にむかいました。お花畑《はなばたけ》は、ぬるぬる池《いけ》のむこうです。

「さあ、いよいよ、おじいさんのゆびわのゆくえがわかるわ。」

ちびっこおばけたちが、わくわくしながらお花畑《はなばたけ》に来《き》てみると……。

なんとお花畑《はなばたけ》の花《はな》は、すでにだれかに切《き》りとられてしまっていました。切《き》られていないのは、まだまだ固《かた》いつぼみの花《はな》だけ。

「いったい、だれがこんなことしたんだろ。ムカつく！」

「これじゃ、どの花《はな》がさいていたのか、わからないわ。ぐすん！」

「そうだ！　妖精《ようせい》のレロレロに聞《き》いてみよう。すぐ近《ちか》くのぬるぬる池《いけ》にすんでいるんだから、どの花《はな》がさいていたのか、知《し》ってるかもしれないわ。」

そう言《い》ったのはピーちゃんです。

ちびっこおばけたちは、ぬるぬる池《いけ》のふちから、大声《おおごえ》でごあいさつ。

「レロレロさあん！」

「こんばんは！」
「ちびっこおばけたちデース。」
すると、池《いけ》のまん中《なか》に、ごぼっとあわがうかんできて、まん中《なか》から声《こえ》がしました。

いらっしゃあい、どうぞ！

ちびっこたちは、大《おお》よろこびで池《いけ》のそこにズズズーッと入《はい》っていきました。

池《いけ》のそこには、レロレロのすてきないすやテーブルや、ベッドやかがみが、おいてありました。

「ちょうど、ぜにごけゼリーができたところよ。めしあがれ。」

エプロンをしめたレロレロは、緑色《みどりいろ》にすきとおった、プルプルのゼリーを、すすめてくれました。

「わあい、いただきまあす。」

「レロレロさん、大好《だいす》き！ 今夜《こんや》はとくべつきれいよ。とくに、ながあいかみの毛《け》が……。」

グーちゃんがおせじを言《い》うと、スーちゃんが、ひじでつついて言《い》いました。

「しっ、あれはかつらよ。」

「ははは。おいしいなあ。このゼリー」。

ちびっこおばけたちは、あわてて、ごまかしました。

ちびっこおばけたちが、ぺろりぺろりと、ぜにごけゼリーを食《た》べていると、レロレロのペットの、こいのトトちゃんがそばに来《き》ました。

食《く》いしんぼうのトトちゃんは、こいのくせに、まぐろみたいに太《ふと》っています。

今《いま》も、ちびっこたちのそばで、ぱくぱく口《くち》を開《あ》いては、ぜにごけゼリーをおねだりするのでした。

しかたがなく、ちびっこたちは、ひと口《くち》食《た》べては、ひと口《くち》トトちゃんにあげたので、ほとんど食《た》べた気《き》がしません。

「ごちそうさまあ！」

「ああ、おいしかった！」

「でも、もっと食《た》べたかった。」

ぜにごけゼリーがなくなると、トトちゃんは大《おお》きな口《くち》を開《あ》け、池《いけ》のそこにしずんでいるあきかんやスリッパまでのみこんでいます。

「あれ、なにしに来《き》たんだっけ、あたしたち。」

ちびっこたちは、やっと、かんじんのことを思《おも》いだしました。

「そうだわ。レロレロさん。」

「お花畑《はなばたけ》で、今晩《こんばん》なんの花《はな》がさいていたか、おぼえてない？」

すると、レロレロは言《い》いました。

「あらあ、あの花《はな》を切《き》ったのあたしじゃないわよ。あたしも、はじめは、さきはじめのお花《はな》のゼリーを作《つく》ろうと思《おも》ったんだけど、だれかが切《き》りとってしまったあとだったから、しかたなく、ぜにごけゼリーにしたんですもの。」

「なあんだ。」

「じゃあ、レロレロさんも見《み》てないんだ。」

「がっかり……。」

ちびっこおばけたちがすごすごと、引《ひ》きあげよ

うとしたときでした。

「ぐえーっぷ、ぐえーっぷ！」

なんだかトトちゃんのようすがへんです。

「どうしたの？」

トトちゃんは大《おお》きなおなかを上《うえ》にむけ、なにやらぐったりしています。

「トトちゃん！　まーた、へんなもの食《た》べたのね。

ちゃんとえさをやっているのに、トトちゃんは食《く》いしんぼだから……。どれ、お口《くち》をあーんしてごらん。あらまあ、スリッパがのぞいてる。ああ、取《と》れないわ。どうしましょう。」

レロレロは、トトちゃんをだきしめたまま、おろおろしています。

「すぐ、お医者《いしゃ》さんにつれてかなくちゃ。」

「歯医者《はいしゃ》さんならこの近《ちか》くにあるわ。」

「あたしたちも、いっしょに行《い》く！」

こうなったら、おじいさんのゆびわさがしは、しばらくおあずけです。

レロレロは、トトちゃんを、ペット用《よう》のビニールバッグに入《い》れて持《も》ちました。そのレロレロをちびっこたちが、ささえてあげて、ぴゅ

うっと空《そら》を飛《と》んでいったおかげで、ずいぶん早《はや》くつきました。
ところが、なんということでしょう。
歯医者《はいしゃ》さんには
『今夜《こんや》は満月《まんげつ》だからお休《やす》み』
というかんばんが、出《で》ているではありませんか。

☆早い！安い！いたくない！
ちくちく歯科医院
診療時間　真夜中
今夜は
満月だから
お休み
ごめんね

「そういえば、歯医者《はいしゃ》さんは、満月《まんげつ》になるとおおかみ男《おとこ》に変身《へんしん》するんだったわ。」

「このごろは、ときどき、ぶた男《おとこ》になっちゃうらしいの。」

「だから、歯医者《はいしゃ》もお休《やす》みなのね。」

「わあん。あしたまで待《ま》ってたら、あたしのトトちゃんが死《し》んじゃう！」

レロレロは、ドンドンドン！と歯医者《はいしゃ》さんのドアをたたきました。

すると、まどのカーテンが、ちょろっと持《も》ち上《あ》がり、目《め》だけが、きろきろとのぞきました。

さあ、出《で》てくるのはおおかみ男《おとこ》でしょうか。ぶた男《おとこ》でしょうか。

ピーちゃんは、さっそく、そばにさいていた花《はな》をつみとって、花《はな》びらうらない。

「ぶた、おおかみ、ぶた、おおかみ……ぶただ！」

と、さけんだ瞬間《しゅんかん》、ドアが細《ほそ》めに開《あ》いて、

「なにか用《よう》？」

ぶた男《おとこ》が、顔《かお》を出《だ》しました。

「ああ、たいへんなの。あたしのトトちゃんが、へんなもの、のみこんで！」

レロレロがぶた男《おとこ》にしがみついて、そう言《い》うと、ぶた男《おとこ》は、おどおどして言《い》いました。

「えっ、そりゃこまった。今夜《こんや》はお休《やす》みなんだよ。」

「そんなこと言《い》ってたら、トトちゃんは死《し》んじゃうわ。」

「早《はや》く早《はや》く、取《と》りだしてあげて！」

ちびっこおばけたちが、口《くち》ぐちにさけんでも、

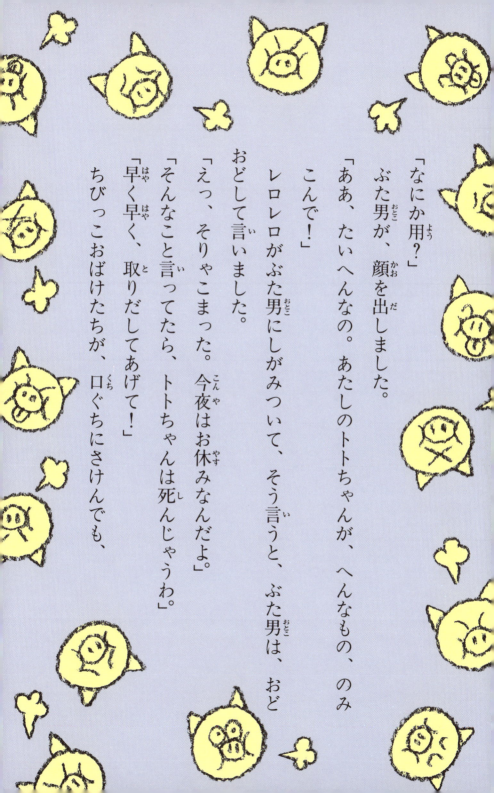

「だいじょうぶかなあ。ぼく、こわいなあ。」

ぶた男《おとこ》は、ふるえながら、そう言《い》うばかり。

「だいじょうぶだったら!」

「んもう!」

「じれったい!」

ちびっこおばけたちは、ぶた男《おとこ》の背中《せなか》をおして、ずんずん診《しん》察室《さつしつ》に入《はい》っていきました。

そうして、トトちゃんをビニールバッグから出《だ》して、

「はいっ!」

と、ぶた男《おとこ》におしつけました。

「ひゃあっ、やめて！　こわいよ！」

ぶた男《おとこ》が、ひめいをあげて飛《と》びのいたので、トトちゃんは、ビチャッとゆかの上《うえ》に、落《お》っこちました。

そのとたん、ゲホッとスリッパが、トトちゃんの口《くち》から飛《と》びだしました。つづいて、出《で》るわ、出《で》るわ。

あきかん、スプーン、コップに歯《は》ブラシ、ハンドバッグ、手《て》ぶくろ、レロレロのかつらまで出《で》てきました。最後《さいご》に、コロン！　となにかがゆかにころがりました。

「ああっ、おじいさんのゆびわ！」

ちびっこおばけたちは、声《こえ》をそろえてさけびました。

「トトちゃん、どうしてこんなまずそうなものばかり食《た》べたのよ。」

レロレロは、トトちゃんをだきしめました。

「よかった、よかった。おじいさんのゆびわが見《み》つかって……。」

ちびっこおばけたちも大《おお》よろこびで、ふわんふわんと、とびはねました。元気《げんき》になったトトちゃんも、ぴょうんとビニールバッグの中《なか》にとびこみました。

そのとき、ぶた男《おとこ》が、ボソッとつぶやきました。

「やれやれ、これもにこにこの花《はな》のおかげかな……」。

「え？　にこにこの花《はな》？」

見《み》れば、診察室《しんさつしつ》の花《か》びんの中《なか》で、にこにこの花《はな》が一本《ぽん》、にこにこわらっているではありませんか。

「ああっ！」

「こんなところに！」

「にこにこの花《はな》が！」

ちびっこたちは、口《くち》ぐちにさけびました。

「あなただったのね。せっかくさいたお花《はな》を切《き》りとったのは！」

「ごめんなさい。だって、ぼく、ぶた男《おとこ》になったときは、ものすごく気《き》が小《ちい》さくなってしまうんだ。

でも、にこにこの花《はな》を見《み》ていると、すこうし元気《げんき》が出《で》てくるの。」

「そうだったの。」

「やっぱり、オバタンのうらない、あたってたんだ。」

「にこにこの花《はな》なら、ゆびわは水《みず》の中《なか》って言《い》っていたものね。」

さあて、次《つぎ》の晩《ばん》、オバタンがおきてみると、げんかん先《さき》には、ドーンと、おばけかぼちゃのかんづめがつみあげられていましたよ。

◎健康《けんこう》のため、昼《ひる》まはたっぷりねむろう！

ぞくぞく村《むら》だより③号《ごう》

グー・スー・ピー監修《かんしゅう》
ちびっこおばけ特集《とくしゅう》

◆発行所《はっこうじょ》◆
ぞくぞく村《むら》広報室《こうほうしつ》

グー・スー・ピーに直撃《ちょくげき》インタビュー!!

●好《す》きな食《た》べものは？
♥おばけかぼちゃのたね！（グーちゃん）
◆べろべろの実《み》のシチューかなあ。（スーちゃん）
♣なんたって、もじゃもじゃサラダ。（ピーちゃん）

●ペットはなあに？
♥けむしのケケちゃん。（グーちゃん）
◆みみずのミーちゃん。（スーちゃん）
♣もぐらのモッくん。（ピーちゃん）

なんでもおしえちゃう♡
グーちゃん
スーちゃん
ピーちゃん

●さいきん、どんないたずらした？
♥カタカタ橋《ばし》の下《した》にかくれて、ミイラのラムさんとマミさんをおどかした。（グーちゃん）
◆おばけかぼちゃでかぼちゃわりをした。（スーちゃん）
♣ぬるぬる池《いけ》でレロレロさんのかつらをつった。（ピーちゃん）
♥◆♣ごめんなさあい！

●このごろむちゅうになってることは？
♥◆♣（三人《にん》そろって）バンド演奏《えんそう》！

花畑《はなばたけ》の花《はな》は切《き》らずに見《み》るだけにしよう。

七《なな》つ子《こ》のベビーシッター。
（小鬼《こおに》のゴブリン）

★セール

こっとう品《ひん》お買《か》いどく。
半《はん》がくわりびき。
（ミイラのラム）

出演者《しゅつえんしゃ》ぼしゅう

ぞくぞく村《むら》の文化祭《ぶんかさい》近《ちか》し！

うた、ダンス、魔術《まじゅつ》などなんでもけっこう。申《もう》しこみは、どっきり広《ひろ》場《ば》のブティックまで。

また太《ふと》って着《き》られなくなった洋服《ようふく》ゆずります。ただし、おばけかぼちゃのかんづめか、トイレットペーパーとこうかんだよ。（魔女《まじょ》のオバタン）

今度《こんど》のまん月《げつ》、ぼくはおおかみ男《おとこ》になるの？
ぶた男《おとこ》になるの？
（ときどきぶたになる
おおかみ男《おとこ》）

おしらせ

来月《らいげつ》のはじめ一週間《しゅうかん》、いとこの雪男《ゆきおとこ》に会《あ》いにヒマラヤに行《い》くので、おけら山《やま》はるすです。雪《ゆき》もふりません。（雪女《ゆきおんな》より）

ぞくぞく劇場《げきじょう》

《ただいま上映中《じょうえいちゅう》》
記録映画《きろくえいが》「ネッシーのかくれんぼ」

ぞくぞく美術館《びじゅつかん》

世界《せかい》の美人《びじん》ゆうれい画《が》
特別公開中《とくべつこうかいちゅう》。

おしえます

水中《すいちゅう》エアロビクス教室《きょうしつ》はじめました。
（妖精《ようせい》レロレロ）

★おたよりください◆あてさき◆東京都千代田区西神田三―二―一あかね書房「ぞくぞく村」係

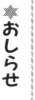

作者　末吉暁子（すえよし　あきこ）
神奈川県生まれ。児童図書の編集者を経て、創作活動に入る。『星に帰った少女』(偕成社)で日本児童文学者協会新人賞、日本児童文芸家協会新人賞受賞。『ママの黄色い子象』(講談社)で野間児童文芸賞、『雨ふり花さいた』(偕成社)で小学館児童出版文化賞、『赤い髪のミウ』(講談社)で産経児童出版文化賞フジテレビ賞受賞。長編ファンタジーに『波のそこにも』(偕成社)が、シリーズ作品に「きょうりゅうほねほねくん」「くいしんぼうチップ」(共にあかね書房)など多数がある。垂石さんとの絵本に『とうさんねこのたんじょうび』(BL出版)がある。2016年没。

画家　垂石眞子（たるいし　まこ）
神奈川県生まれ。多摩美術大学卒業。絵本に『ライオンとぼく』(偕成社)、『おかあさんのおべんとう』(童心社)、『もりのふゆじたく』『きのみのケーキ』『あたたかいおくりもの』『あいうえおおきなだいふくだ』『あついあつい』(以上福音館書店)、『メガネをかけたら』(小学館)、『わすれたって、いいんだよ』(光村教育図書)、『けんぽうのえほん　あなたこそたからもの』(大月書店)などがある。挿絵の作品に『かわいいこねこをもらってください』(ポプラ社)など多数。日本児童出版美術家連盟会員。
垂石眞子ホームページ
http://www.taruishi-mako.com/

ぞくぞく村のおばけシリーズ③　ぞくぞく村のちびっこおばけグー・スー・ピー
発　行＊1990年12月第１刷　2024年１月第66刷
作　者＊末吉暁子　画家＊垂石眞子
発行者＊岡本光晴
発行所＊あかね書房　〒101-0065　東京都千代田区西神田3-2-1／TEL 03-3263-0641(代)
印刷所＊錦明印刷㈱　写植所＊㈲千代田写植　製本所＊㈱難波製本

NDC913　79 p　22cm

© A.Sueyoshi, M.Taruishi, 1990／Printed in Japan
〈検印廃止〉落丁本・乱丁本はおとりかえします。
定価はカバーに表示してあります。

ISBN978-4-251-03673-5

ぞく村
雨ぼうずの家
おしゃれおばけの家
びよびよ丘
オバタンの家
ミイラのラムさん
もじゃもじゃ原っぱ
ブツブツの木
ゴブリンの家
とんとん橋
おばけかぼちゃ畑
吸血鬼の家
ぱかぱか森